Impressum
Verlag: BABADADA GmbH, Nedderfeld 112 , 22529 Hamburg
Geschäftsführer / Verlagsleitung: Harald Hof
Druck: Books on Demand GmbH, In de Tarpen 42, 22848 Norderstedt

Imprint
Publisher: BABADADA GmbH, Nedderfeld 112 , 22529 Hamburg, Germany
Managing Director / Publishing direction: Harald Hof
Print: Books on Demand GmbH, In de Tarpen 42, 22848 Norderstedt, Germany

Sala lekcyjna
klas

dzielić
divize

186/2

Tablica
tablo

Nauczyciel
profeser

Dziedziniec szkoln
lakour lekol

Papier
papie

pisać
ekrir

Pisak
plim

Biurko
biro

Liniał
lareg

Książka
liv

Uczeń
zelev

Plecak szkolny

sak lekol

Piórnik

plimie

Ołówek

kreyon

Temperówka

egizwar

Gumka do mazania

gom

Słownik ilustrowany

diksioner viziel

Blok rysunkowy

kaye desin

Rysunek

desin

Pędzel

pinso

udełko z akwarelami

bwat lapintir

Nożyce

sizo

Klej

lakol

Książka do ćwiczenia

kaye devwar

Zadanie domowe

devwar

Liczba

nimero

dodawać

azoute

odejmować

retire

mnożyć

miltipliye

liczyć

kalkile

Litera

let

ABCDEFG HIJKLMN OPQRSTU VWXYZ

Alfabet

alfabet

Słowo

mo

Tekst

text

czytać

lir

Kreda

lakre

Godzina

leson

Dziennik lekcyjny

rezis

Egzamin

lexame

Świadectwo

sertifika

Mundurek szkolny

iniform lekol

Wykształcenie

ledikasion

Leksykon

lansiklopedi

Uniwersytet

liniversite

Mikroskop

mikroskop

Mapa

map

Kosz na odpadki

poubel

Hotel
lotel

Schronisko
loberz

Kantor wymiany walut
biro sanz

Walizka
valiz

Auto
loto

Język
langaz

tak / nie
wi / non

OK
okay

Halo
Alo

Tłumacz
tradikter

Dziękuję
Mersi

Ile kosztuje ...?

komie sa..?

Nie rozumiem

Mo pa pe konpran

Problem

problem

Dobry wieczór!

Bonswar!

Dzień dobry!

Bonzour!

Dobranoc!

Bonn nwi!

Do widzenia

o-revwar

Kierunek

direksion

Bagaż

bagaz

Torba

sak

Plecak

sak-a-do

Gość

ot

Pokój

pies

Śpiwór

sak kousaz

Namiot

latant

formacja turystyczna

lofis tourism

Plaża

laplaz

Karta kredytowa

kart kredi

Śniadanie

ti-dezene

Obiad

dezene

Kolacja

dine

Bilet

biye

Winda

lasanser

Znaczek na list

tem

Granica

frontier

Cło

ladwann

Ambasada

lanbasad

Wiza

viza

Paszport

paspor

Samolot
avion

Statek
bato

Pojazd straży pożarnej
kamion ponpie

Autobus
bis

Samochód ciężarowy
kamion

Łódź motorowa
bato avek moter

Rower
bisiklet

Auto
loto

Prom

feri

Łódź

bato

Motocykl

motosiklet

Radiowóz policyjny

loto lapolis

Samochód wyścigowy

loto lekours

Samochód wypożyczony

loto lokasion

Wspólne przejazdy
samochodem
ko-vwatiraz

Samochód pomocy
drogowej
kamion towing

Śmieciarka

kamion salte

Silnik

moter

Benzyna

lesans

Stacja benzynowa

filing

Znak drogowy

pano indikasion

Ruch

trafik

Korek

anbouteyaz

Parking

parking

Dworzec

stasion trin

Szyny

ray

Pociąg

trin

Tramwaj

tram

Wagon

vagon

Helikopter

elikopter

Lotnisko

aeropor

Wieża

towing

Pasażer

pasaze

Kontener

kontener

Karton

karton

Taczka

sario

Kosz

panie

startować / lądować

dekole / aterir

Miasto

lavil

Wieś

vilaz

Centrum miasta

sant-vil

Dom

lakaz

Kino
sinema

Reklama
pibliste

Latarnia uliczna
lalamp sime

CINEMA

Ulica
sime

Taksówka
taxi

Kiosk
kiosk

Pieszy
pieton

Chodnik
trotwar

Lampa
robo

Skrzyżowanie
lakrwaze

Pasy dla pieszych
pasaz pieton

Kubeł na śmieci
poubel

Chata

kabann

Mieszkanie

flat

Dworzec

stasion trin

Ratusz

minisipalite

Muzeum

mize

Szkoła

lekol

Uniwersytet

liniversite

Bank

labank

Szpital

lopital

Hotel

lotel

Apteka

farmasi

Biuro

biro

Księgarnia

libreri

Sklep

magazin

Kwiaciarnia

fleris

Supermarket

sipermarse

Rynek

bazar

Dom towarowy

gran magazin

Sklep z rybami

pwasonnri

Centrum handlowe

sant komersial

Port

lepor

Park

park

Ławka

labank

Most

pon

Schody

leskalie

Metro

metro

Tunel

tinel

Przystanek autobusowy

bistop

Bar

bar

Restauracja

restoran

Skrzynka na listy

bwat-a-let

Tabliczka z nazwą ulicy

pano

Parkometr

parkmet

Zoo

zoo

Łaźnia

pisinn

Meczet

moske

Gospodarstwo chłopskie

laferm

Zanieczyszczenie
środowiska
polision

Cmentarz

simitier

Kościół

legliz

Plac zabaw

lespas pou zwe

Świątynia

tanp

Krajobraz

peizaz

Liść
fey

Drogowskaz
pano indikasion

Droga
sime

Łąka
preri

Kamień
ros

Drzewo
pie

Wędrowiec
randonner

Rzeka
larivier

Trawa
lerb

Kwiat
fler

Dolina

lavale

Góra

kolinn

Jezioro

lak

Las

bwa

Pustynia

dezer

Wulkan

volkan

Zamek

sato

Tęcza

larkansiel

Grzyb

sanpinion

Palma

palmie

Komar

moutik

Mucha

mous

Mrówka

fourmi

Pszczoła

abey

Pająk

zarenie

Chrząszcz

koksinel

Żaba

grenouy

Wiewiórka

ekirey

Jeż

erison

Zając

lapin

Sowa

ibou

Ptak

zwazo

Łabędź

sign

Dzik

sangliye

Jeleń

serf

Łoś

elan

Tama

dam

Wiatrak

eolienn

Moduł solarny

pano soler

Klimat

klima

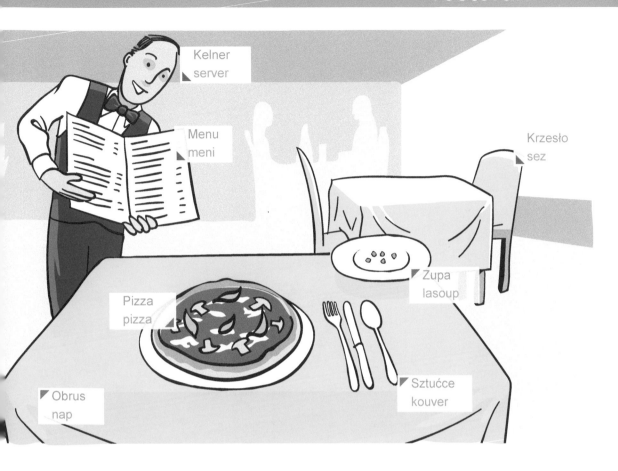

Kelner
server

Menu
meni

Krzesło
sez

Zupa
lasoup

Pizza
pizza

Sztućce
kouver

Obrus
nap

Przystawka
....
lantre

Danie główne
....
pla prinsipal

Deser
....
deser

Napoje
....
labwason

Jedzenie
....
manze

Butelka
....
boutey

Fastfood

fast food

Streetfood

take-away

Dzbanek na herbatę

teyer

Cukierniczka

po disik

Porcja

porsion

Zaparzarka do espresso

masinn expresso

Krzesło dla dziecka

sez-ot

Rachunek

bill

Taca

plato

Noż

kouto

Widelec

fourset

Łyżka

kwiyer

Łyżeczka

ti-kwiyer

Serwetka

serviet

Szklanka

ver

Talerz

lasiet

Talerz do zupy

lasiet

Podstawek pod filiżankę

soukoup

Sos

lasos

Solniczka

po disel

Młynek do pieprzu

moulin dipwav

Ocet

vineg

Olej

delwil

Przyprawy

zepis

Keczup

ketchup

Musztarda

lamoutard

Majonez

mayonez

Oferta promosion

Klient
klian

FOR

Produkty mleczne
prodwi a baz dile

Owoce
frwi

Wózek sklepowy
trole

Rzeźnia

bousri

Piekarnia

boulanzri

ważyć

peze

Warzywa

legim

Mięso

laviann

Mrożonki

aliman konzele

Wędliny

sarkitri

Konserwy

bwat konserv

Proszek m do prania

lapoud masinn

Słodycze

bonbon

Artykuły użytku domowego

komision

Środek czyszczący

deterzan

Sprzedawczyni

vandez

Kasa

lakes

Kasjer

kesie

Lista zakupów

lalis komision

Godziny otwarcia

ouvertir

Portfel

portfey

Karta kredytowa

kart kredi

Torba

sak

Torebka plastikowa

sak plastik

Napoje
labwason

Woda

delo

Sok

zi

Mleko

dile

Cola

coca

Wino

divin

Piwo

labier

Alkohol

lalkol

Kakao

sokola so

Herbata

dite

Kawa

kafe

Espresso

expresso

Cappuccino

cappuccino

Banan

banann

Jabłko

pom

Pomarańcza

zoranz

Arbuz

melon

Cytryna

sitron

Marchew

karot

Czosnek

lay

Bambus

banbou

Cebula

zwayon

Grzyb

sanpiyon

Orzechy

nwazet

Makaron

minn

Spaghetti

spageti

Ryż

diri

Sałatka

salad

Frytki

chips

Ziemniaki pieczone

pomdeter frir

Pizza

pizza

Hamburger

burger

Kanapka

sandwich

Sznycel

eskalop

Szynka

zanbon

Salami

salami

Kiełbasa

sosis

Kura

poul

Pieczeń

roti

Ryba

pwason

Płatki owsiane

oatmeal

Musli

muesli

Płatki kukurydziane

kornbif

Mąka

lafarinn

Croissant

krwasan

Bułka

ti-dipin

Chleb

dipin

Toast

dipin griye

Ciastka

biskwi

Masło

diber

Twarożek

fromaz blan

Ciasto

gato

Jajko

dizef

Jajko sadzone

dizef frir

Ser

fromaz

Lody

sorbe

Cukier

disik

Miód

dimiel

Marmolada

konfitir

Krem nugatowy

nouga

Curry

kari

Dom rolnika
laferm

Stodoła
lagranz

Baloty słomy
lapay

Pole
karo

Koń
seval

Przyczepa
remork

Żrebię
poulin

Traktor
trakter

Osioł
bourik

Jagnię
agno

Owca
mouton

Koza
....
kabri

Krowa
....
vas

Cielę
....
vo

Świnia
....
koson

Prosię
....
ti-koson

Byk
....
toro

Gęś

lezwa

Kaczka

kanar

Kurczątko

pousin

Kura

poul

Kogut

kok

Szczur

lera

Kot

sat

Mysz

souri

Osioł

bef

Pies

lisien

Buda dla psa

lakaz lisien

Wąż ogrodowy

tiyo

Konewka

arozwar

Kosa

laserp

Pług

saret

Sierp

fosi

Graca

pios

Widły

fours

Siekiera

lars

Taczka

bouret

Koryto

kiv

Kanka na mleko

bwat dile

Worek

sak

Płot

fencing

Stajnia

letab

Szklarnia

laser

Ziemia

later

Nasiona

lagrin

Nawóz

langre

Kombajn zbożowy

masinn pou fer rekolt

zbierać

rekolte

Żniwa

rekolt

Podchrzyn

ignam

Pszenica

dible

Soja

soya

Ziemniak

pomdeter

Kukurydza

may

Rzepak

colza

Drzewo owocowe

zarb frwitie

Maniok

maniok

Zboże

sereal

Komin
lasemine

Dach
twa

Rynna deszczowa
dalo

Okno
lafnet

Garaż
garaz

Dzwonek
sonet

Drzwi
laport

Wiaderko na śmieci
poubel

Skrzynka na listy
bwat-o-let

Ogród
zardin

Pokój dzienny
salon

Łazienka
saldebin

Kuchnia
lakwizinn

Sypialnia
lasam

Pokój dziecięcy
lasam zanfan

Jadalnia
salamanze

Ziemia

sali

Ściana

miray

Koc

plafon

Piwnica

lakav

Sauna

sona

Balkon

balkon

Taras

teras

Basen

pisinn

Kosiarka do trawy

masinn koup gazon

Poszwa

dra

Kołdra

kwet

Łóżko

lili

Miotła

balie

Wiadro

seo

Włącznik

take lalimier

Obraz
foto

Tapeta
papie-pin

Lampa
lalamp

Regał
letazer

Szafa
larmwar

Komin
lasemine

Telewizor
televizion

Kwiat
fler

Poduszka
kousin

Kanapa
sofa

Wazon
vaz

Pilot
rimot-kontrol

Dywan

tapi

Zasłona

rido

Stół

latab

Krzesło

sez

Bujak

rocking chair

Fotel

fotey

Książka

liv

Sufit

kouvertir

Dekoracja

dekorasion

Drewno kominkowe

dibwa foye

Film

fim

Instalacja stereo

hi-fi

Klucz

lakle

Gazeta

zournal

Malunek

lapintir

Plakat

poster

Radio

radio

Notatnik

bloknot

Odkurzacz

laspirater

Kaktus

kaktis

Świeczka

labouzi

Lodówka
frizider

Kuchenka mikrofalowa
mikro-ond

Waga kuchenna
balans

Toster
toaster

Środek czyszczący
deterzan

Piekarnik
four

rzegródka zamrażalnika
izer

Wiaderko na śmieci
poubel

Zmywarka do naczyń
lav-vesel

Kuchenka

four

Garnek

kasrol

Kocioł żeliwny

marmit

Wok / Kadai

wok

Patelnia

pwal

Czajnik

boulwar

Parowar

steamer

Blacha do pieczenia

plak kwison

Naczynia kuchenne

vesel

Kubek

goble

Miska

bol

Pałeczki

baget sinwa

Nabierka

lous

Łopatka do smażenia

spatil

Trzepaczka do śmietany

fwet

Cedzak

paswar

Sitko

tami

Tarka

larap

Moździerz

mortie

Grillowanie

griyad

Palenisko

lasemine

Deska

biyo

Wałek do ciasta

roulo

Korkociąg

tirbouson

Puszka

bwat konserv

Otwieracz do puszek

ouvbwat

Ściereczka do trzymania garnka

legan proteksion

Umywalka

lavabo

Szczotka

bros

Gąbka

leponz

Mikser

blender

Zamrażarka

konzelater

Butelka dla niemowlęcia

bibron

Kran

robine

Ogrzewanie
sofaz

Prysznic
dous

Ręcznik
serviet

Kotara prysznicowa
rido dous

Płyn do kąpieli
bin mousan

Wanna kąpielowa
benwar

Szklanka
ver

Pralka
masinn lave

Kran
robine

Kafelki
karo

Nocnik
potsam

Umywalka
lavabo

Toaleta

twalet

Toaleta kuczna

twalet

Bidet

bide

Pisuar

piswar

Papier toaletowy

papie twalet

Szczotka toaletowa

bros twalet

czoteczka do zębów

bros ledan

Pasta do zębów

dantifris

Nitki do czyszczenia zębów

fil danter

myć

lave

Głowica prysznicowa

ti-bin

Płyn kąpielowy do higieny intymnej

dous

Miska do mycia

basin

Szczotka kąpielowa

bros ledo

Mydło

savon

Żel prysznicowy

zel dous

Szampon

sanpwin

Rękawica kąpielowa

gandebin

Odpływ

drin

Krem

lakrem

Dezodorant

deodoran

Lustro

mirwar

Lustro kosmetyczne

mirwar

Golarka

razwar

Pianka do golenia

lamous pou raze

Woda po goleniu

apre-razaz

Grzebień

pengn

Szczotka

bros

Suszarka do włosów

seswar

Spray do włosów

lak

Makijaż

makiyaz

Pomadka

dirouz

Lakier do paznokci

verni

Wata

cotton wool

Nożyczki do paznokci

tay-zong

Perfum

parfin

Kosmetyczka

trous twalet

Taboret

stoul

Waga

balans

Szlafrok kąpielowy

penwar

Rękawice gumowe

legan netwayaz

Tampon

tanpon

Podpaska damska

serviet izienik

Toaleta chemiczna

twalet simik

Budzik
revey

Pluszowa przytulanka
doudou

Samochodzik
ti loto

Grzechotka
ose

Domek dla lalek
lakaz zouzou

Prezent
kado

Balon

balon

Łóżko

lili

Wózek dziecięcy

pouset

Gra w karty

kart

Puzzle

puzzle

Komiks

tikomik

Klocki lego

lego

Klocki

lego

Action figura

figirinn

Śpioszek dziecięcy

grenouyer

Frisbee

frisbee

Zabawki ruchome

mobil

Gra planszowa

zwe

Kości

lede

Kolejka elektryczna

trin zouzou

Smoczek

siset

Przyjęcie

fet

Książka z ilustracjami

liv ek zimaz

Piłka

boul

Lalka

poupet

bawić się

zwe

Piaskownica

bak-a-sab

Huśtawka

balanswar

Zabawki

zouzou

Konsola do gier

game

Rowerek trójkołowy

trisik

Pluszowy miś

nounours

Szafa ubraniowa

larmwar

Ubiór

linz

Skarpety

soset

Pończochy

leba

Rajstopy

kolan

Szal
esarp

Parasol
parapli

T-Shirt
t-shirt

Pasek
sintir

Kozaki
bot

Pantofle domowe
pantouf

Obuwie sportowe
tenis

Sandały
sandalet

Buty
soulie

Kalosze
bot an karotsou

Majtki
souvetman

Biustonosz
soutiengorz

Podkoszulek
vest

Body

body

Spodnie

pantalon

Dżins

jeans

Spódnica

zip

Bluzka

blouz

Koszula

simiz

Pulower

pull-over

Bluza sportowa

blouzon ek kapison

Marynarka

vest

Kurtka

jaket

Płaszcz

manto

Płaszcz przeciwdeszczowy

pardesi

Kostium

kostim

Sukienka

rob

Suknia ślubna

rob lamarye

Garnitur męski

kostim

Koszula nocna

robdesam

Piżama

pizama

Sari

sari

Chusta na głowę

foular

Turban

tirban

Burka

bourka

Kaftan

kaftan

Abaya

abaya

Strój kąpielowy

mayo de bin

Kąpielówki

mayo de bin

Krótkie spodnie

sorti de sekour

Dres sportowy

linz spor

Fartuch

tabliye

Rękawiczki

legan

Guzik

bouton

Okulary

linet

Bransoletka

brasle

Łańcuszek

kolie

Pierścionek

bag

Kolczyk

zanon

Czapka

bone

Wieszak

sint

Kapelusz

sapo

Krawat

kravat

Zamek błyskawiczny

fermetirekler

Kask

elmet

Szelki

bretel

Mundurek szkolny

iniform lekol

Mundur

iniform

Śliniaczek

bavwar

Smoczek

siset

Pieluszka

lanz

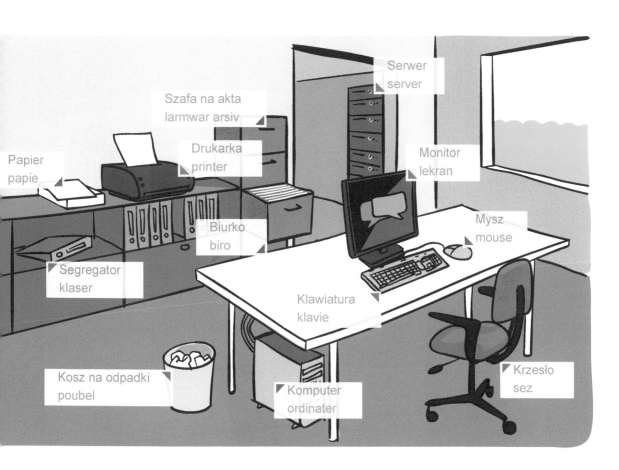

Serwer
server

Szafa na akta
larmwar arsiv

Drukarka
printer

Papier
papie

Monitor
lekran

Biurko
biro

Mysz
mouse

Segregator
klaser

Klawiatura
klavie

Kosz na odpadki
poubel

Komputer
ordinater

Krzesło
sez

Filiżanka do kawy

mug

Kalkulator

kalkilatris

Internet

internet

Laptop

laptop

List

let

Wiadomość

mesaz

Komórka

portab

Sieć

rezo

Kopiarka

fotokopi

Oprogramowanie

lozisiel

Telefon

telefonn

Gniazdko

priz

Faks

fax

Formularz

form

Dokument

dokiman

kupić
....
aste

płacić
....
peye

postępować
....
fer biznes

Pieniądze
....
larzan

 USD

Dolar
....
dolar

 EUR

Euro
....
euro

JPY

Jen
....
yen

RUB

Rubel
....
rouble

CHF

Frank
....
fran swis

CNY

Juan Renminbi
....
renminbi yuan

INR

Rupia
....
roupi

Bankomat
....
distribiter biye

Kantor wymiany walut

biro sanz

Złoto

lor

Srebro

larzan

Olej

petrol

Energia

lenerzi

Cena

pri

Umowa

kontra

Podatek

tax

Akcja

aksion

pracować

travay

Pracownik umysłowy

anplwaye

Pracodawca

anplwayer

Fabryka

lizinn

Sklep

magazin

Policjant
polisie

Strażak
ponpie

Kucharz
kwizinie

Lekarz
dokter

Pilot
pilot

Ogrodnik

zardinie

Stolarz

sarpantie

Krawcowa

koutirier

Sędzia

ziz

Chemik

simis

Aktor

akter

Kierowca autobusu

sofer bis

Taksówkarz

sofer taxi

Fischer

peser

Sprzątaczka

bonn

Dekarz

zouvriye twa lakaz

Kelner

server

Myśliwy

saser

Malarz

pint

Piekarz

boulanze

Elektryk

elektrisien

Robotnik budowlany

zouvriye

Inżynier

inzenier

Rzeźnik

bouse

Instalator

plonbie

Listonosz

fakter

Zawody - travay

Żołnierz

solda

Architekt

arsitek

Kasjer

kesie

Florysta

fleris

Fryzjer

kwafez

Konduktor

chek

Mechanik

mekanisien

Kapitan

kapitenn

Dentysta

dantis

Naukowiec

siantis

Rabin

rabi

Imam

imam

Mnich

mwann

Proboszcz

pret

Młotek
marto

Szczypce
pins

Wkrętak
tournavis

Klucz do śrub
lakle

Latarka
tors

Koparka

peltez

Skrzynka narzędziowa

bwat zouti

Drabina

lesel

Piła

lasi

Gwoździe

koulou

Wiertło

persez

naprawić

aranze

Łopatka

lapel

Cholera!

Ayo!

Szufelka

lapel

Puszka z farbą

po lapintir

Śruby

vis

Instrumenty muzyczne
instriman lamizik

Głośnik
o-parler

Perkusja
batri

Kontrabas
kontrebas

Trąbka
tronpet

Gitara
lagitar

Pianino

piano

Skrzypce

violon

Bas

bas

Kotły

tinbal

Bęben

tanbour

Keyboard

klavie

Saksofon

saxofonn

Flet

laflit

Mikrofon

mikro

Wejście
lantre

Tygrys
tig

Klatka
kaz

Zebra
zeb

Pasza
manze pou zanimo

Panda
panda

Zwierzęta

zanimo

Słoń

lelefan

Kangur

kangourou

Nosorożec

rinoceros

Goryl

gori

Niedźwiedź

lours

Wielbłąd

samo

Struś

lotris

Lew

lion

Małpa

zako

Fleming

flaman roz

Papuga

peroke

Niedźwiedź polarny

lours poler

Pingwin

pingwi

Rekin

rekin

Paw

pan

Wąż

serpan

Krokodyl

krokodil

Dozorca w zoo

gardien zoo

Foka

fok

Jaguar

zagwar

Kucyk

poney

Gepard

leopar

Hipopotam

ipopotam

Żyrafa

ziraf

Orzeł

leg

Dzik

sangliye

Ryba

pwason

Żółw

torti

Mors

mors

Lis

renar

Gazela

gazel

Futbol amerykański
foutborl ameriken

Kolarstwo
siklism

Tenis
tenis

Koszykówka
basketball

Pływanie
natasion

Boks
labox

Hokej na lodzie
oke lor gazon

Piłka nożna
foutborl

Badminton
badminton

Lekka atletyka
atletism

Piłka ręczna
handball

Narciarstwo
ski

Polo
polo

skakać
sote

śmiać się
riye

objąć
maye

iść
marse

śpiewać
sante

marzyć
reve

modlić się
priye

całować
anbrase

pisać	rysować	pokazywać
ekrir	desine	montre

nacisnąć	dać	wziąć
pouse	done	pran

mieć

ena

robić

fer

być

ete

stać

diboute

biegać

galoupe

ciągnąć

rise

rzucać

zete

spaść

tonbe

leżeć

alonze

czekać

atann

nosić

amene

siedzieć

asize

zakładać

abiye

spać

dormi

budzić się

leve

spojrzeć

gete

płakać

plore

głaskać

karese

czesać się

pengne

mówić

koze

rozumieć

konpran

pytać

dimande

słyszeć

ekoute

pić

bwar

jeść

manze

sprzątać

netwaye

kochać

kontan

gotować

kwi

jechać

kondir

latać

anvole

żeglować

fer lavwal

liczyć

kalkile

czytać

lir

uczyć się

aprann

pracować

travay

wejść w związek małżeński

marye

szyć

koud

myć zęby

bros ledan

zabić

touye

palić tytoń

fime

wysłać

avoye

Babcia
granmer

Dziadek
granper

Ojciec
papa

Matka
mama

Niemowlę
ti-baba

Córka
tifi

Syn
garson

Gość
ot

Ciotka
matant

Wujek
tonton

Brat
frer

Siostra
ser

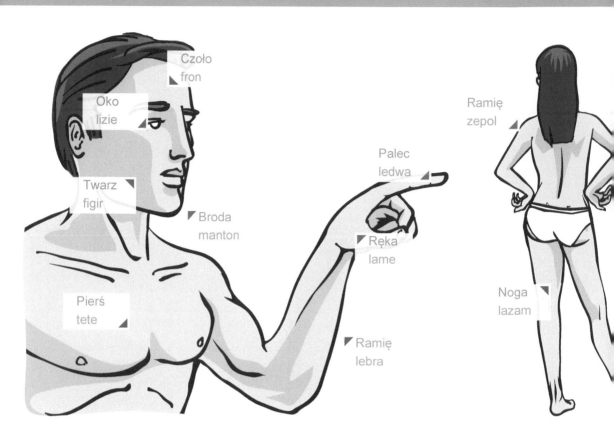

Czoło
fron

Oko
lizie

Twarz
figir

Broda
manton

Pierś
tete

Palec
ledwa

Ręka
lame

Ramię
lebra

Ramię
zepol

Noga
lazam

Niemowlę

ti-baba

Mężczyzna

zom

Kobieta

fam

Dziewczyna

tifi

Chłopiec

ti-garson

Głowa

latet

Plecy

ledo

Brzuch

vant

Pępek

lonbri

palec nogi

zortey

Pięta

talon

Kość

lezo

Biodro

laans

Kolano

zenou

Łokieć

koud

Nos

nene

Pośladki

fes

Skóra

lapo

Policzek

lazou

Uszy

zorey

Warga

lalev

Usta

labous

Ząb

ledan

Język

lalang

Mózg

servo

Serce

leker

Mięsień

mix

Płuca

poumon

Wątroba

lefwa

Żołądek

lestoma

Nerki

lerin

Stosunek płciowy

sex

Kondom

kapot

Komórka jajowa

ovil

Sperma

sperm

Ciąża

groses

Menstruacja
·················
period

Wagina
·················
vazin

Penis
·················
penis

Brew
·················
soursi

Włosy
·················
seve

Szyja
·················
likou

Szpital
lopital

Karetka pogotowia
lanbilans

Wózek inwalidzki
fotey-roulan

Złamanie
fraktir

Lekarz

dokter

Izba przyjęć

servis irzans

Pielęgniarka

ners

Nagły przypadek

irzans

nieprzytomny

inkonsian

Ból

douler

Skaleczenie

blesir

Krwawienie

emorazi

Zawał serca

kriz kardiak

Udar mózgu

atak serebral

Alergia

alerzik

Kaszleć

touse

Gorączka

lafiev

Grypa

lagrip

Biegunka

diare

Ból głowy

malad latet

Rak

kanser

Cukrzyca

diabet

Chirurg

sirirzien

Skalpel

skalpel

Operacja

operasion

CT

CT

Rentgen

x-ray

Ultradźwięki

iltrason

Maska

mask

Choroba

maladi

Poczekalnia

sal-datant

Kula

beki

Plaster

pansman

Opatrunek

bandaz

Iniekcja

inzeksion

Stetoskop

stetoskop

Nosze

brankar

Termometr

termomet

Poród

nesans

Nadwaga

sirpwa

Aparat słuchowy

laparey oditif

Środek dezynfekcyjny

dezinfektan

Infekcja

infeksion

Wirus

viris

HIV / AIDS

HIV / SIDA

Medycyna

medsinn

Szczepienie

vaksinasion

Tabletki

konprime

Pigułka

pilil kontraseptif

Telefon ratunkowy

korl irzans

Ciśnieniomierz krwi

laparey tansion

chory / zdrowy

malad / bien

Pomocy!

o-sekour

Alarm

alarm

Napad

atak

Atak

atak

Niebezpieczeństwo

danze

Wyjście awaryjne

sorti de sekour

Pożar!

Dife!

Gaśnica

laponp dife

Wypadek

aksidan

Walizeczka pierwszej pomocy

kit first aid

SOS

SOS

Policja

lapolis

Europa

Ierop

Ameryka Północna

Lamerik di nor

Ameryka Południowa

Lamerik di sid

Afryka

Iafrik

Azja

Iazi

Australia

Iostrali

Atlantyk

Iatlantik

Pacyfik

pasifik

Ocean Indyjski

Iosean indien

Ocean Antarktyczny

Iosean antartik

Ocean Arktyczny

Iosean artik

Biegun północny

Pol Nor

Biegun południowy

Pol Sid

Antarktyda

lantartik

Ziemia

later

Kraj

later

Morze

lamer

Wyspa

zil

Naród

nasion

Państwo

leta

Zegar

orloz

Cyferblat

kadran

Wskazówka godzinowa

zegwi ler

Wskazówka minutowa

zegwi minit

kazówka sekundowa

zegwi segonn

Która godzina?

ki ler la ?

Dzień

zour

Czas

letan

teraz

aster-la

Zegarek digitalny

mont dizital

Minuta

minit

Godzina

ler

Tydzień
Iasemenn

Poniedziałek
Lindi

Środa
Merkredi

Piątek
Vandredi

Sobota
Samdi

Wtorek
Mardi

Czwartek
Zedi

Niedziela
Dimans

wczoraj

yer

dzisiaj

zordi

jutro

demin

Rano

gramatin

Południe

midi

Wieczór

aswar

MO	TU	WE	TH	FR	SA	SU
1	2	3	4	5	6	7
8	9	10	11	12	13	14
15	16	17	18	19	20	21
22	23	24	25	26	27	28
29	30	31	1	2	3	4

Dni robocze

zour travay

MO	TU	WE	TH	FR	SA	SU
1	2	3	4	5	6	7
8	9	10	11	12	13	14
15	16	17	18	19	20	21
22	23	24	25	26	27	28
29	30	31	1	2	3	4

Weekend

wikenn

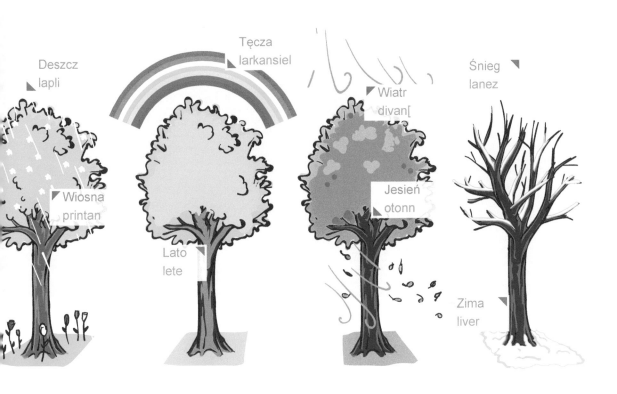

Deszcz
lapli

Tęcza
larkansiel

Śnieg
lanez

Wiatr
divan[

Wiosna
printan

Jesień
otonn

Lato
lete

Zima
liver

4.APRIL	11°	☀
5.APRIL	4°	
6.APRIL	13°	
7.APRIL	8°	☀
8.APRIL	10°	☀

Prognoza pogody

meteo

Termometr

termomet

Światło słoneczne

lalimier soley

Chmura

niaz

Mgła

brouyar

Wilgotność powietrza

limidite

Błyskawica

lafoud

Grzmot

toner

Sztorm

tanpet

Grad

lagrel

Monsun

mouson

Potop

inondasion

Lód

laglas

Styczeń

Zanvie

Luty

Fevriye

Marzec

Mars

Kwiecień

Avril

Maj

Me

Czerwiec

Zien

Lipiec

Zilie

Sierpień

Out

Rok - lane

Wrzesień
....
Septam

Październik
....
Oktob

Listopad
....
Novam

Grudzień
....
Desam

Kształty
form

Koło
....
ron

Kwadrat
....
kare

Prostokąt
....
rektang

Trójkąt
....
triang

Kula
....
sfer

Sześcian
....
kib

Kształty - form   83

Kolory

bann kouler

biały

blan

żółty

zonn

pomarańczowy

oranz

różowy

roz

czerwony

rouz

liliowy

mov

niebieski

ble

zielony

ver

brązowy

maron

szary

gri

czarny

nwar

dużo / mało

boukou / enn tigit

wściekły / spokojny

ankoler / kalm

piękny / brzydki

zoli / vilin

początek / koniec

oumansman / lafin

duży / mały

gro / tipti

jasny / ciemny

kler / obskirite

brat / siostra

frer / ser

czysty / brudny

prop / sal

kompletny / niekompletny

konple / inkonple

dzień / noc

lizour / lanwit

umarły / żywy

vivan / mor

szeroki / wąski

larz / sere

jadalny / niejadalny

komestib / inkomestib

zły / uprzejmy

move / bon

podniecony / znudzony

exsite / agase

gruby / chudy

gra / mins

najpierw / na końcu

premie / dernie

przyjaciel / wróg

kamwad / lennmi

pełen / pusty

ranpli / vid

twardy / miękki

dir / mou

ciężki / lekki

lour / leze

głód / pragnienie

fin / swaf

chory / zdrowy

malad / bien

nielegalny / legalny

ilegal / legal

inteligentny / głupi

intelizan / kouyon

lewo / prawo

gos / drwat

bliski / daleki

pre / lwin

nowy / używany

nouvo / ize

nic / coś

nanye / kiksoz

stary / młody

vie / zenn

włącz / wyłącz

demare / arete

otwarty / zamknięty

ouver / ferme

cichy / głośny

trankil / for

bogaty / biedny

ris / pov

prawidłowy / błędny

bon / move

chropowaty / gładki

brit / lis

smutny / szczęśliwy

tris / zwaye

krótki / długi

kourt / long

powolny / szybki

lan / rapid

mokry/suchy

tranpe / sek

ciepły / chłodny

so / fre

wojna / pokój

lager / lape

0

zero

zero

1

jeden

enn

2

dwa

de

3

trzy

trwa

4

cztery

kat

5

pięć

sink

6

sześć

sis

7

siedem

set

8

osiem

wit

9

dziewięć

nef

10

dziesięć

distribiter biye

11

jedenaście

onz

12

dwanaście

douz

13

trzynaście

trez

14

czternaście

katorz

15

piętnaście

kinz

16

szesnaście

sez

17

siedemnaście

diset

18

osiemnaście

dizwit

19

dziewiętnaście

diznef

20

dwadzieścia

vin

100

sto

san

1.000

tysiąc

mil

1.000.000

milion

milyon

Angielski

Angle

Angielski amerykański

Angle Lamerik

Chiński mandaryński

Mandarin Sinwa

Hindi

Hindi

Hiszpański

espagnol

Francuski

Franse

Arabski

Arab

Rosyjski

Ris

Portugalski

Portige

Bengalski

Bengali

Niemiecki

Alman

Japoński

Zapone

ja

mo

ty

to

on / ona / ono

li

my

nou

wy

ou

oni

zot

kto?

kisana?

co?

kiete?

jak?

kouma?

gdzie?

kotsa?

kiedy?

kan?

Nazwisko

nom

za
....
deryer

w
....
dan

przed
....
devan

powyżej
....
lor

na
....
lor

pod
....
anba

obok
....
akote

między
....
ant

Miejsce
....
plas

Lightning Source UK Ltd.
Milton Keynes UK
UKHW050954080922
408512UK00002B/124